STELLE, PERLE E MISTERO

MARIANGELA RAPACCIUOLO e **ROBERTA** TEO

elementare **e**

COLLANA **IL PIACERE DELLA LETTURA**
diretta da Marco Mezzadri
Letture graduate in 3 livelli

Progetto Grafico: salt & pepper - Perugia
Illustrazioni: salt [Moira Bartoloni]

ISBN 88-7715-569-8

www.guerraedizioni.com

Questo libro fa parte del progetto **Rete!**

TU Secondo te di cosa parlerà questa storia?

VOI Divisi a coppie giocate con la fantasia. Dite al vostro compagno di cosa parlerà questa storia.

PORTOVENERE

CAPITOLO 01

In questo capitolo si parla di un piccolo paese sul mare.

Elenca una serie di parole che hanno relazione con il mare.

Elencate una serie di parole che hanno relazione con il mare.
Poi, a gruppi, confrontate le vostre liste.

4

movimentato: pieno di gente

PORTOVENERE

Nel piccolo porto di Portovenere ci sono le barche a vela e gli yacht dei turisti e accanto le barche dei pescatori. Lungo il molo, proprio di fronte al mare, stanno le case, lunghe e strette, alte e tutte in fila, con i colori tipici della Liguria, rosa, rosso scuro, giallo e ocra. E se uno cammina fino alla fine del molo, pieno di yacht e barche, e poi gira a destra, si trova davanti al grande piazzale che sta di fronte alla famosa chiesa di San Pietro, in marmo bianco e nero. Sulla destra parte il sentiero che porta al Castello, che domina dall'alto. Portovenere, insieme a Lerici, sono i due bellissimi centri turistici che racchiudono il golfo della città di La Spezia, che è conosciuta in tutta Italia con il nome di Golfo dei Poeti. Il paese è **movimentato**. Lungo il molo passeggia una compagnia un po' particolare. Due bambini che corrono avanti e indietro insieme a un cane, due giovani donne e due uomini, uno giovane e l'altro più maturo, che hanno l'aria di parlare seriamente... almeno quello maturo con la sua barba, il viso magro e le gambe lunghe... a dire il vero è solo lui che ha l'aria di parlare seriamente... perché l'altro, quello più giovane, ha voglia di correre con i due bambini e con Zara, il cane, ma deve invece prestare attenzione a quel signore con la barba, il viso magro e le gambe lunghe e l'aria seria che parla, parla...

- ...perché vedi, Lorenzo, io, Rossella e sua sorella Barbara, dopo la

tragica morte dei loro genitori, le ho cresciute come figlie... e anche tu in me... dopo questo matrimonio... avrai un padre... Ma i figli, caro Lorenzo, non hanno solo diritti, eh, no, eh, no, hanno anche dei doveri...
Lorenzo guarda Rossella, la fidanzata, che tutta contenta cammina davanti a loro con la sorella, il nipotino Davide, che spensierato corre con il suo **amichetto** Ivan, e intorno a lui la gente del paese e i turisti e tanta gente che è venuta da fuori **apposta** per la festa. "Domani c'è il matrimonio" pensa Lorenzo "e sicuramente in mezzo a tutta questa gente che passeggia ci sono dei nostri invitati..."
- Ah! - La voce dello zio interrompe i suoi pensieri. Finalmente ha smesso di parlare!
- Ah! - fa di nuovo lo zio - Guarda, guarda un nostro ospite molto speciale! Come stai, caro Ahmet? Rossella, Barbara, Lorenzo! Vi voglio presentare un mio carissimo amico, un amico speciale...
I tre giovani si fermano davanti all'uomo che lo zio saluta con tanta cortesia. Lorenzo non crede ai suoi occhi: davanti a lui, elegantissimo in un abito di seta bianca, sta un principe orientale!

amichetto: un amico piccolo di età

apposta: proprio per questo motivo

PORTOVENERE

CAPITOLO 02

Come ti immagini la festa di un matrimonio italiano?

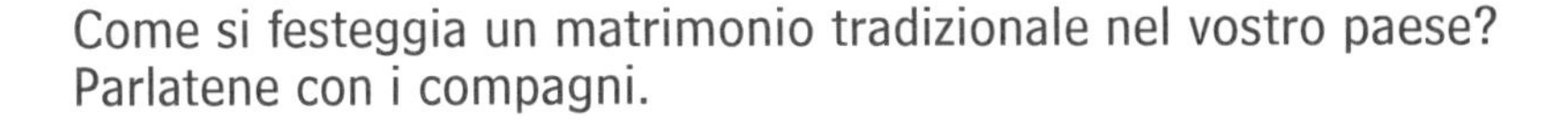

Come si festeggia un matrimonio tradizionale nel vostro paese?
Parlatene con i compagni.

7

IL PRINCIPE

- Allora, allora a domani la grande festa... - dice il principe col suo accento straniero.
- A domani, a domani! - risponde lo zio - E' tutto pronto... e come al solito mi sono occupato io di tutto. Caro Ahmet, domani vedrai un matrimonio italiano...

Ahmet non parla molto. Ma ha gli occhi vivaci, curiosi e neri e con questi occhi neri guarda Rossella e **chissà** perché questi occhi mettono Lorenzo a disagio. Occhi strani, misteriosi che nascondono pensieri diversi, realtà lontane, occhi da principe orientale.

chissà: chi può sapere

Lo zio parla, parla. Racconta dell'organizzazione della festa, delle spese, degli invitati importanti, di come lui deve sempre pensare a tutto, di come è stato un vero padre per Barbara e Rossella, quando all'improvviso lo interrompe la voce di Davide, il figlioletto di Barbara, che ha sette anni:
- Principe Ahmet, - dice il bambino - il 10 agosto in Italia è la notte di San Lorenzo! Cadono le stelle e per ogni stella puoi esprimere un desiderio!

"Per ogni stella un desiderio..." dicono gli occhi del principe, che continuano a guardare Rossella.
"Un desiderio" pensa il principe. "Rossella, ecco il mio desiderio!"
e la sua voce continua:
- Bene, bene! Domani sarà un gran giorno. I matrimoni nel mio paese sono sempre dei giorni importanti... E anche pieni di sorprese. Allora, a domani... - e continua la passeggiata seguito dalle sue guardie del corpo.
- A domani - rispondono gli altri e Lorenzo continua a camminare, ma si sente strano e non capisce perché.

CAPITOLO 03

In questo capitolo c'è la descrizione di Rossella.

Quale di queste tre figure può assomigliarle secondo te?

Come vi immaginate Rossella? A coppie confrontate le vostre idee con i compagni. Iniziate le frasi così:
"Secondo me Rossella..."

10

LA FESTA AL CASTELLO

10 agosto. E' la notte di San Lorenzo. Portovenere è in festa per il matrimonio di Rossella e Lorenzo, e per l'occasione hanno aperto il Castello. Eh, sì, è una festa importante. Rossella Perruzzi e Lorenzo Cozzani, figli di due importanti e ricche famiglie della zona, si sposano. Rossella è orfana. Il padre, Carlo Perruzzi, proprietario di un grande **cantiere navale**, è morto insieme alla moglie in un tragico incidente quando lei era piccola. Lorenzo è il figlio di un famoso **banchiere**. E' il matrimonio dell'anno, e Portovenere è tutta illuminata. Anche le barche, nel suo famoso porticciolo, sono tutte illuminate a festa. Gli sposi escono dalla chiesa e i fotografi stanno pronti con le loro macchine per il servizio per il loro giornale.
Gli invitati salgono lentamente il sentiero che porta all'ingresso del Castello, sono amici e parenti venuti da ogni parte d'Italia e anche dall'estero. C'è molta allegria, voci e confusione e ad un tratto - eccoli, eccoli, arrivano... - gridano con gioia Stefania e Barbara, la cugina e la sorella della sposa.
Rossella non è mai stata così bella. Piccola, snella, gli occhi grigio-verde, i lunghi capelli biondi e quel sorriso dolcissimo. Indossa un vestito bianco, lungo e molto semplice. Al collo una lunga collana di perle bianche, che risplendono sulla pelle dorata dal sole.
E poi Lorenzo. Alto, elegante, abbronzato e con due occhi blu che ricordano la profondità del mare di Portovenere.
Oggi sposi. Rossella e Lorenzo sono felici e innamorati. La musica inizia e la festa comincia. E' stato Lorenzo a scegliere questa data. Il giorno del suo **onomastico**, il giorno in cui cadono le stelle dal cielo come dice la poesia che piace tanto a Rossella... "*San Lorenzo, io lo so perché **tanto di stelle** per l'aria tranquilla arde e cade...*"

cantiere navale: dove si costruiscono le navi e le barche

banchiere: il proprietario di una banca

onomastico: la festa del nome

tanto di stelle: molte stelle

arde: brucia

CAPITOLO 04

Cosa pensi che succederà a Rossella in questo capitolo?

Cosa pensate che succederà a Rossella in questo capitolo? Sceglete un'ipotesi, completatela e confrontatela insieme.

1. cadrà e si farà male perché... 2. sparirà perché... 3. litigherà con Lorenzo perché... 4. si innamorerà del principe perché... 5. litigherà con lo zio perché...

12

ROSSELLA

- Dove vai? - chiede Stefania.
- Voglio fare due passi da sola. Voglio guardare le stelle, il mare e stare un po' da sola con la mia felicità. Torno subito - Rossella sorride, e va verso l'uscita del Castello.
- Dove va? - chiede Lorenzo
- Dai, non essere geloso. Vuole stare un po' da sola - risponde Stefania.
- E' troppo buio intorno al Castello. Perché non vai con lei? - dice Lorenzo e non è tranquillo.
- Perché ha detto che vuole stare sola - risponde Stefania. Lo guarda in modo curioso e poi aggiunge:
- Hai paura di perderla?
- No, no, è solo che... Va beh, andiamo a ballare... - e Lorenzo va verso il gruppo di amici che stanno ballando.

Rossella cammina lentamente lungo il sentiero che dal Castello porta al paese. E' felice. Da quando ha incontrato Lorenzo è felice. Non è stata facile la sua vita. Dopo la morte dei genitori lei e sua sorella hanno vissuto con lo zio. Quello zio sempre così serio e severo, che parla solo di soldi. E' cresciuta senza amore. Ma ora ha trovato Lorenzo. Guarda **incantata** le stelle, ecco, sì, una stella **cadente**, deve esprimere un desiderio: "Voglio sempre essere felice come stasera, tutta la vita con Lorenzo...". Non fa in tempo a esprimere il suo desiderio che vede un'altra stella, e poi un'altra e un'altra ancora. Comincia a recitare quella poesia che a scuola le piaceva tanto *"San Lorenzo, io lo so perché tanto di stelle per l'aria tranquilla arde e cade, perché **sì gran pianto** nel **concavo** cielo **sfavilla**..."*
- Rossella? - chiama qualcuno a voce bassa nell'oscurità.
- Sì? Chi è... - non fa in tempo ad aggiungere altro. All'improvviso il cielo non ha più stelle. Solo il buio circonda Rossella, mentre qualcosa le copre gli occhi. Vuole gridare ma non può. Qualcosa le **tappa** la bocca e il buio diventa sempre più profondo.

incantata: affascinata

cadente: che cade

sì gran pianto: un pianto così grande

concavo: profondo

sfavilla: brilla

tappa: chiude

CAPITOLO 05

In questo capitolo si parla di gioielli. Abbina il nome dei gioielli alle figure.

1. collana 2. anello 3. bracciale 4. spilla

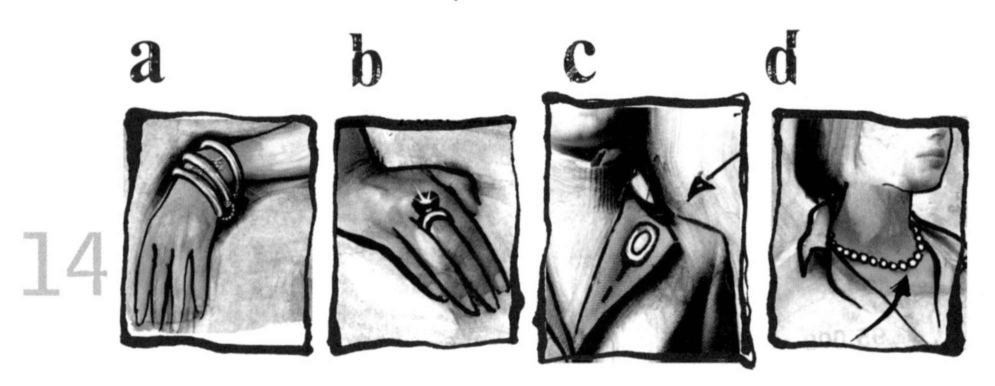

LO ZIO E IL COMMERCIANTE

- Caro Bruno, - dice allo zio uno degli invitati, un uomo piccolo dagli occhi furbi, - complimenti per la bellissima nipote, per la bellissima cerimonia! Che festa, che eleganza...

- Grazie, grazie, Arturo - risponde lo zio mentre versa lo champagne. - Non è stato facile sai, tutta l'organizzazione, le spese... veramente non è stato più niente facile dopo quella tragica notte.

- Le hai cresciute, tu, vero? - fa l'uomo mentre beve lo champagne. - Come figlie, dicono.

- Lo puoi dire forte, come figlie, e sai cosa significa, sai che problemi, con l'eredità dei nonni - continua lo zio.

- A proposito di eredità... - fa l'uomo e i suoi occhi brillano, forse perché ha bevuto troppo champagne!

- Eh, l'eredità! Una gran parte di questa eredità la porta via Rossella col matrimonio... Sai non tutti gli zii fanno quello che faccio io... - lo zio continua a parlare.

Ma Arturo pensa alle sue cose.

- A proposito di eredità ho visto che tua nipote porta una bellissima collana di perle. Ma che dico bellissima, eccezionale! - dice Arturo.

- Cosa? - s'interrompe lo zio. - Ah, sì. E' un regalo di Lorenzo. Un gioiello di famiglia. Era della nonna di Lorenzo, credo.

- Si capisce, si capisce! E' molto preziosa, si vede - fa Arturo e butta giù tutto lo champagne rimasto nel bicchiere. - Io l'ho visto subito, sai, con il lavoro che faccio, il commercio di pietre preziose. Ecco, pensavo, Bruno, che se tra l'eredità dei ragazzi ci sono altri gioielli come questa collana, forse è meglio conoscere il loro vero valore. Se vuoi, posso farlo io. Tu di sicuro non hai tempo e i ragazzi certamente non capiscono queste cose. Sì, forse è meglio se lo faccio io.
- Altri gioielli? - fa lo zio. - Penso proprio di sì. Rossella ha molte collane, spille, anelli, bracciali...
- Saranno naturalmente di grande valore - dice Arturo.
- Eh, beh, ora ho altro a cui pensare, caro Arturo. Devo pensare alla parte dell'eredità che Rossella deve avere dopo il matrimonio. Sai sono molti soldi - lo interrompe lo zio.
- ...che perle eccezionali, - continua Arturo come ubriaco tra sé e sé - una fortuna, valgono una fortuna.
Intanto lo zio si guarda intorno e vede Lorenzo che si avvicina a Barbara.
- Barbara, hai visto Rossella? - chiede Lorenzo.
- Ma, ora no, prima era con gli amici di Torino, poi... non so... sarà con qualche amica a parlare di te naturalmente - ride Barbara e aggiunge - forse è con Stefania.
- Stefania ha detto che Rossella è uscita dal Castello...- risponde Lorenzo.
- Per andare dove? - chiede Barbara.
- Per stare un po' da sola a guardare le stelle - risponde Lorenzo.
- E allora? Non c'è niente di strano. Starà un po' da sola con i suoi pensieri e poi tornerà. Dai, Lorenzo, non sparirà di certo!
Lorenzo si guarda intorno. Non è tranquillo. Perché ha questa sensazione strana? E' il giorno del suo matrimonio, è felice. Perché allora?
" Dai, Lorenzo" dice a se stesso "cosa sono questi cattivi pensieri? Rossella ora tornerà o forse è già tornata..."
- Hai ragione, è meglio se andiamo a ballare, - dice Lorenzo - forse anche Rossella sta ballando e con tutta questa gente non riesco a vederla. Vado a cercarla.
Gli ospiti mangiano, bevono, ridono e si divertono.
"E' proprio una bella festa" pensa lo zio "ma quanti soldi! E poi quanti soldi dovrò dare a Rossella. E poi perché? Molti di questi soldi sono miei, e ora li devo dare a Rossella. Non è giusto".
Non è contento, lo zio, no, non è per niente contento.

CAPITOLO 06

STELLE, PERLE E MISTERO

Che relazione ci può essere secondo te tra Davide e le stelle?

Cosa sapete delle stelle? A gruppi provate a indovinare cosa sono o cosa rappresentano le seguenti stelle. Poi confrontate le vostre idee con quelle dei compagni.

1. la stella di Natale
2. la stella cadente
3. la stella polare
4. la stella di Davide
5. la stella marina
6. le stelle del cinema

DAVIDE E LE STELLE

- Cos'hai? - chiede Ivan a Davide, il suo amico che è venuto con lui alla festa.
- Niente - risponde **brusco** Davide.
- Niente? Dai, Davide, come niente. **Hai un muso**!
- E' che... scusa, non ci danno nessuna importanza. Mamma e papà non fanno altro che ballare... e poi sono tutti grandi... e zia Rossella dov'è, non la vedo, non mi ha nemmeno salutato... - risponde Davide.
- Forse non ha potuto, con tutta questa gente... - dice Ivan perché vuole consolare l'amico.

I grandi ballano, ridono, bevono champagne e con questa confusione per i due bambini è facile uscire dal Castello. E' così bella la notte! I bambini scendono il sentiero che dal Castello porta giù ai **vicoli** del paese. Davide cammina a testa bassa e dà calci alle piccole pietre che trova sulla strada. Poi ad un tratto la vede... è lì, davanti a lui e rivede la scena con la zia Rossella quando gli diceva la sua poesia preferita "*San Lorenzo, io lo so perché tanto di stelle per l'aria tranquilla arde e cade*" e ricorda le sue parole... "*sai, Davide, vuol dire che le stelle dal cielo cadono e poi, scendono sulla terra e si trasformano in perle...*" E ora è lì davanti a lui, la sua stella-perla. La raccoglie. Com'è bella, liscia e luminosa!
- Ivan, Ivan - comincia a urlare e poi si mette a correre.

brusco: poco gentile

hai un muso!: come sei arrabbiato!

vicoli: stradine

- Che c'è?- Ivan non riesce a capire cosa succede.
- Le stelle. Le stelle sono cadute dal cielo. Ecco, là, vedo una stella! - Davide è eccitato.
- Ivan, vieni! Ecco, laggiù, un'altra stella! Hai visto? Le stelle sono diventate perle, - esclama Davide, - proprio come dice zia Rossella.
Davide raccoglie la sua seconda stella-perla e la dà a Ivan.
- Tienile tu, perché se la mamma le trova comincia a urlare. Dice che non devo mai raccogliere niente da terra - gli dice Davide a voce bassa.
In quel momento:
- Davideeee, Davideeeee, dove sei? Torna subito qui! - si sente la voce della mamma.
- Uffa. Dai, è meglio se torniamo subito, se no la mamma si arrabbia.
Ritorneremo qui più tardi, ma non dobbiamo dire niente a nessuno.
Questo è il nostro segreto!
- D'accordo - risponde l'amico. E' contento di avere un segreto.
I bambini corrono verso il Castello. Si sente sempre più chiara la voce della mamma che dice:
- E' tardi per i bambini, devono andare a letto. Per piacere, Stefania, li accompagni tu a casa?

CAPITOLO 07

STELLE, PERLE E MISTERO

insegna

ROYAL HOTE

E adesso un mistero...

Prova a indovinare. Quale può essere secondo te questo mistero?

A coppie fate delle ipotesi su questo possibile mistero e poi confrontate le vostre idee con quelle dei compagni.

21

DAVIDE E IL MISTERO

Stefania accompagna i bambini a casa, li mette a letto e torna al Castello. La festa per i grandi continua! Ivan si è addormentato come un **sasso** ma Davide no. Davide continua a pensare alle sue stelle, sole, cadute sulla strada. Piano piano si alza, apre lentamente la porta e guarda Ivan che dorme tranquillo. Esce nelle stradine buie e rifà la stessa strada di prima, dove ha trovato le due perle che ha dato a Ivan.

Cammina **pensieroso**. E' arrabbiato con la zia, la sua carissima zia che è andata via senza nemmeno salutarlo. La zia Rossella, che gli diceva sempre la sua poesia preferita "*San Lorenzo, io lo so perché tanto di stelle per l'aria tranquilla arde e cade...*" Rossella gli raccontava sempre delle stelle che cadono dal cielo e poi diventano perle e che se le raccogli troverai la fortuna e la felicità. Mentre cammina la vede. Eccola, un'altra e un'altra ancora. Sembrano lì in fila ad indicargli la strada. Segue i **vicoletti** nella notte, la mano ormai piena di perle, e si ritrova vicino a un grande albergo con l'insegna illuminata. "Il Royal Hotel, l'albergo dei ricchi" pensa. Guarda in alto, che bello, quante stelle e... poi più niente. Improvvisamente il buio. Sente qualcosa sugli occhi e sulla bocca. Non puó urlare e vorrebbe gridare "Mamma, mamma, aiuto... dove sei? Mamma..."

- Piano, piano **moccioso**, - dice una voce con l'accento straniero - se non stai fermo vedrai cosa ti succede.
- Piano, è solo un bambino - aggiunge un'altra voce leggermente più gentile.
- E ora che facciamo? - dice la prima voce.
- Adesso lo portiamo dalla ragazza e poi vedremo - aggiunge la seconda voce - Forse dovrà sparire!

sasso: pietra

pensieroso: pieno di pensieri

moccioso: ragazzino

vicoletti: piccoli vicoli

CAPITOLO 08

STELLE, PERLE E MISTERO

E' arrivato l'ispettore. Cosa farà secondo te?

Quali sono le caratteristiche che deve avere un bravo ispettore secondo voi? A coppie scegliete tre tra le seguenti caratteristiche e spiegate ai vostri compagni il perché della vostra scelta.

avere molte idee
essere sospettoso
avere i baffi
avere molti aiutanti
avere il pancione
essere amico degli animali
essere furbo
avere fantasia
essere brusco
avere dei bravi aiutanti

L'ISPETTORE

A casa c'è un uomo con il pancione e i baffi. E' l'ispettore. Hanno chiamato l'ispettore perché Rossella è sparita. E' uscita dal Castello e non è più tornata. Lorenzo è disperato.

- E' colpa mia, colpa mia! - dice - Lo sentivo che c'era qualcosa di strano, lo sentivo che non doveva uscire da sola dal Castello. Non ho fatto niente, non sono andato con lei, è colpa mia.

- Lorenzo, perché fai così? Cosa c'entri tu? Tu non hai nessuna colpa, Rossella voleva stare un po' da sola, ricordi? - gli dice Barbara, anche lei disperata. Non sa cosa pensare, nessuno sa cosa pensare e nemmeno l'ispettore che si tira le punte dei baffi per farsi venire delle idee. Ma le idee non vengono e così comincia a interrogare gli ospiti per cercare di scoprire qualcosa.

Ora è la volta dello zio.

- Non so niente - dice lo zio con voce brusca.

"Non ho ancora fatto le mie domande e già lui mi risponde che non sa niente" pensa l'ispettore. "Uhmmm, questo zio mi convince poco...".

L'ispettore si tira un baffo e questa volta gli viene subito un'idea, chiara come il sole. La sua idea è una parola: eredità!

- Allora vediamo, signor Bruno, cosa mi sa dire dell'eredità di sua nipote? - chiede l'ispettore.

- Quale eredità? - dice lo zio con voce sempre più brusca.
- Come, quale eredità? - continua l'ispettore. - Tutti i giornali parlano dell'eredità che andrà a Rossella dopo il matrimonio... una parte della sua eredità, signor Bruno, non è così? - aggiunge l'ispettore. Non gli piace lo zio. Non sopporta le persone magre.
- Ah, intende dire l'eredità dei nonni... - dice lo zio.
- Perché c'è anche un'altra eredità? - chiede curioso l'ispettore.
- No, no, è che vede, la cosa è un po' confusa, i soldi sono anche miei, ecco, proprio così, anche miei - risponde lo zio.
"Uhmm..." pensa l'ispettore "qui c'è odore di problemi e di soldi, tanti soldi," e chiede: - Signor Bruno, se succede qualcosa a sua nipote, a chi andranno tutti questi soldi?
- A nessuno - risponde lo zio. - Cioè a me. Questi soldi sono miei, ispettore, miei di diritto e rimangono a me. Ma perché mi fa tutte queste domande, ispettore, cosa c'entra l'eredità con la scomparsa di Rossella?
- Niente, niente, il mio mestiere è fare domande - risponde l'ispettore mentre pensa "e invece chissà, forse è proprio l'eredità il motivo della scomparsa di Rossella. Vedremo, caro zio, vedremo..."

CAPITOLO 09

In questo capitolo l'ispettore continua a interrogare gli invitati: Quali saranno i suoi sospetti secondo te?

A gruppi scrivete tutte le possibili domande che l'ispettore può fare a una delle persone sospettate. Confrontate le domande con gli altri gruppi.

26

IL COMMERCIANTE E LE PERLE

L'ispettore continua a interrogare gli invitati. Tutti, uno per uno.
Ora davanti a lui sta Arturo, il commerciante.
- Allora, vediamo, Lei è un amico dello zio della sposa, è così? - chiede l'ispettore.
- Sì. E' proprio così, - risponde Arturo e continua - ho conosciuto Bruno Perruzzi due anni fa.
- E come vi siete conosciuti? - domanda l'ispettore.
- Ecco, vede ispettore, io mi occupo del commercio di pietre preziose e il signor Bruno voleva vendere un anello di famiglia. Un grosso diamante, ispettore, una vera fortuna - risponde Arturo.
- Ah, sì - chiede curioso l'ispettore - e perché voleva vendere questo gioiello, aveva forse bisogno di soldi?
- Ma... non so cosa dire... ispettore, non so... - continua il commerciante - e poi i gioielli di famiglia sono tanti.
- Il signor Bruno dice che Lei era molto interessato alla collana - aggiunge all'improvviso l'ispettore e tutto eccitato si tira un baffo.
- La collana? Quale collana? - chiede Arturo.
- La collana di perle, la collana che portava Rossella alla festa - risponde l'ispettore .
- Ah, la collana di perle - dice il commerciante - Beh, ispettore, interessato... ho semplicemente detto che quella collana era molto bella, di grande valore... - continua il commerciante.
"Uhmmm, la collana di grande valore... Uhmmm..." pensa l'ispettore sospettoso "La collana di perle vale una fortuna e questo commerciante non mi convince. Vedremo, caro commerciante... vedremo".

sospettoso: che ha sospetti, che non crede a nessuno e a niente

CAPITOLO 10

STELLE, PERLE E MISTERO

Ti ricordi qual è il segreto di Ivan?

Vi ricordate qual è il segreto di Ivan? Come può il segreto di Ivan aiutare l'ispettore nelle indagini? A gruppi formulate delle ipotesi e ditele ai vostri compagni

28

IVAN E IL SEGRETO

Sono le tre di notte. A casa c'è una gran confusione. Tutti parlano, urlano, voci agitate, nervose. Dov'è la gioia della festa? Ivan apre gli occhi, non capisce. Entra nel salotto e vede Lorenzo, lo zio e poi Barbara e Stefania con i loro mariti. C'è anche un uomo che Ivan non conosce, è l'ispettore, che hanno chiamato per la scomparsa di Rossella.

- Dov'è Davide? - chiede Ivan, pieno di sonno.
- Ivan, - dice Barbara - torna a letto, caro.

Barbara prende il bambino per mano, entrano nella camera e all'improvviso vede il letto di Davide vuoto.

- Ivan, dov'è Davide? - chiede.
- Non lo so - risponde Ivan.
- Come non lo sai? Non avete dormito insieme? - chiede Barbara
- Sì, ma poi, quando mi sono svegliato non c'era più - continua Ivan.
- Forse è andato nella camera di Stefania, vado a vedere - e Barbara va a cercare il bambino.

Davide è scomparso, nessuno riesce a trovarlo.

- Ispettore, ispettore è scomparso Davide! - gli corre incontro la mamma di Davide con le lacrime agli occhi.
- Un momento, calma, non è scomparsa la sposa? - chiede l'ispettore.
- Sì, ma ora è scomparso anche Davide - dice Barbara con la voce piena di pianto.
- E chi è Davide? - chiede l'ispettore.
- Davide è il mio bambino, ha solo sette anni e ora è scomparso - risponde Barbara
- Calma, calma - dice l'ispettore, mentre pensa a questo strano mistero.

"Una sposa che sparisce il giorno del matrimonio, è la prima volta nella mia vita che vedo una cosa del genere. E ora un bambino. Ma perché?

Perché spariscono una sposa e un bambino di sette anni a una festa di matrimonio?"
- E lui chi è? - chiede l'ispettore e indica Ivan.
- E' Ivan, l'amico di Davide - risponde la madre di Davide.
- L'amico di Davide? Allora, tu di sicuro sai dov'è il tuo amichetto - chiede l' ispettore.
- Io non so niente, - dice Ivan - e poi noi abbiamo un segreto.
- Un segreto? - chiede l'ispettore - Quale segreto?
- Un segreto è una cosa che non posso dire - risponde Ivan - per questo si chiama segreto.
- Ivan, caro, Davide è sparito, ti prego, devi raccontare tutto quello che sai - **supplica** Barbara.
- No, niente, è che... il nostro segreto è che... Davide voleva raccogliere le stelle, cioè le perle...
- Le stelle, le perle, ma siete tutti matti in questa casa? - L'ispettore comincia a perdere la pazienza. Non sopporta le persone magre e nemmeno i bambini. - Che stelle, che perle?
- Queste - e Ivan apre la mano e mostra le due perle.
- Aspetta, voglio vedere, - Lorenzo è pallido ed eccitato. - Queste sono le perle della collana di Rossella. E' il mio regalo di nozze. La collana era di mia nonna, riconosco bene queste perle. Ispettore, sì, sono le perle di Rossella! - urla Lorenzo.
- Calma, un momento, calma, devo pensare - dice l'ispettore
"Allora, la sposa sparisce, il bambino sparisce ma prima di sparire pensa bene di trovare le stelle della sposa, ma cosa dico, le perle della sposa... E poi c'è l'eredità, uhmmmm... e questo zio che mi convince poco. Uhmmm... e poi questo commerciante così interessato alle perle, anche lui mi convince poco..." pensa l'ispettore, mentre si tira nervoso le punte dei baffi.
- E dov'è Davide? - chiede ancora una volta al bambino.
- Davide voleva andare a cercare le altre stelle, cioè le perle - risponde Ivan.
Tutti si guardano in faccia, sono pallidi e hanno paura. Cominciano a pensare che Davide e Rossella sono in pericolo, anche se non sanno perché.

supplicare: pregare

CAPITOLO 11

STELLE, PERLE E MISTERO

Anche i cani sognano. Cosa può sognare Zara, secondo te?

Gli odori ci portano alla memoria diverse immagini. Per esempio l'odore di caffè ci fa pensare al mattino. A coppie scrivete alcuni odori e associateli a delle immagini. Poi confrontate le vostre idee con quelle dei compagni.

32

sbattere la coda: muovere la coda

innocente: puro, pulito

ZARA E L'UOMO COI BAFFI

Zara dorme tranquilla e contenta. Ha mangiato proprio bene e ha la pancia piena. Sente il suo padroncino che si alza e **sbatte** solo la coda. Non ha voglia di alzarsi. Fa un bel sogno. Sogna di correre per i prati e davanti a lei tante galline che scappano piene di paura. Che bello, tante galline e tutte sue!

Ma dopo sente delle voci, tante e tutte chiamano:

- Davideeee, Davideee, dove sei?

Zara si guarda intorno curiosa. Perché il suo padroncino non risponde? E chi è quell'uomo col pancione e con i baffi? A Zara non piacciono gli uomini con i baffi. Le è antipatico. E perché gira per casa e fa tante domande?

Zara capisce che è successo qualcosa al suo padroncino.

"Andrò a cercarlo" pensa e comincia a correre.

- Zara, Zara, dove vai? Torna qui - grida la mamma di Davide. - Oddio, e se ora sparisce anche il cane, cosa facciamo?

L'uomo col pancione e con i baffi alza gli occhi al cielo. "Una casa di matti" pensa. Zara punta il suo naso in aria, alla ricerca del suo Davide. Segue il suo odore, quell'odore particolare che sa di pulito, di **innocente**, odore di bambino, diverso dall'odore degli adulti. Corre giù per i vicoli, gira a destra, sale le scalette, sente, sente il suo odore che la guida.

L'odore è sempre più forte, lo sente, il suo padroncino è qui da qualche parte. E' qui, è qui, ora è sicura. Torna indietro e corre verso l'uomo antipatico con i baffi e comincia ad abbaiare.
- Bau, bau, bau!
- Ma cosa vuole? - esclama l'ispettore - abbiamo già abbastanza problemi. Perché questo benedetto cane non smette di abbaiare! - continua impaziente. Non sopporta le persone magre, i bambini e nemmeno i cani.
"Quest'uomo antipatico con i baffi non capisce niente" pensa Zara e comincia a tirargli la giacca con i denti.
- Ma cosa fa ora, cosa fa? - grida l'ispettore
- Un momento, ispettore, forse Zara sta cercando di dirci qualcosa - dice Lorenzo.
- Dirci cosa? Ora i cani parlano? - risponde l'ispettore.
"Quest'uomo antipatico coi baffi è proprio scemo" pensa Zara e continua a tirare la giacca più forte.
- Ispettore, dobbiamo seguire Zara, il cane vuole dirci qualcosa - la madre di Davide ha capito che Zara ha scoperto qualcosa.

CAPITOLO 12

Secondo te che relazione può esistere tra l'albergo Royal Hotel e questa storia?

Zara sta correndo e tutti quanti le corrono dietro. Dove li porterà, secondo voi? Perché? A gruppi formulate delle ipotesi e confrontatele con quelle dei vostri compagni.

IL ROYAL HOTEL

Zara comincia a correre e tutti corrono dietro di lei. Passano nelle stradine del paese, girano a destra e sempre dritti lungo il mare giù, giù, fino a trovarsi davanti all'ingresso del Royal Hotel.

- E ora? - chiede l'ispettore

Zara comincia ad abbaiare e a guardare verso l'albergo.

- Sono qui dentro, sono qui dentro, ispettore, lo sento - dice Lorenzo, mentre segue Zara con lo sguardo.

- Sì, qui dentro, ma dove? E come facciamo a entrare? - aggiunge Barbara ansiosa.

- Silenzio! - dice l'ispettore - L'ispettore, sono io. L'avete dimenticato? Sono io quello che dice cosa bisogna fare. E poi cosa fate tutti qua, dovete andare a casa, questo dovete fare. Sono io che devo trovare Rossella e il bambino! - continua.

- No, ispettore, nessuno di noi andrà a casa. Rossella è qua e noi la troveremo - risponde Lorenzo.

Zara è contenta. Finalmente qualcuno che dice una cosa giusta.

"Sono tutti matti" pensa l'ispettore "E' la prima volta nella mia vita che devo risolvere un caso e ho tutta la famiglia, cane compreso, dietro a dirmi cosa devo fare. Tutti matti".

Nel buio sentono un leggero rumore.

- Silenzio, silenzio, tutti giù, c'è qualcuno - **sussurra** l'ispettore.

In quel momento appaiono quattro figure: due uomini, una ragazza e un bambino.

- Ispettore, ispettore, sono loro - dice piano Lorenzo.

- Silenzio, lo so, lo vedo... Calma, tutti calmi. Devo pensare - risponde l'ispettore.

"Quest'uomo col pancione deve sempre pensare. Beh, tu sta pure a pensare, ma io devo proteggere il mio padroncino" pensa Zara, fedele al suo Davide, e fa un **balzo** in avanti pronta a lottare per salvare il suo padroncino.

sussurrare: parlare a bassa voce

balzo: salto

CAPITOLO 13

STELLE, PERLE E MISTERO

Quale sarà la soluzione del mistero secondo te?

Divisi a coppie pensate a una possibile soluzione e poi confrontate le vostre storie con quelle dei compagni.

38

morsicare: stringere con i denti

LA SOLUZIONE DEL MISTERO

- Aiuto, un cane mi ha **morsicato** alla gamba - grida nel buio uno dei due uomini.
- Cosa? un cane? E da dove è uscito fuori? - risponde l'altro.
- Da dove è uscito fuori? Non lo so, accidenti! So che i suoi denti fanno male. Ahi, ahi, maledetto cane.
- Piano, se urli sveglierai tutti - dice l'amico.

Zara stringe con i denti ancora più forte.

- Fermi tutti - Sulla scena illuminata dalla luna la figura di un uomo con un grosso pancione e una pistola. - Polizia, mani in alto! - dice l'ispettore.

I due uomini lasciano il bambino e la ragazza e cominciano a scappare verso il mare. Zara gli corre dietro.

- Rossella, Davide, state bene? Cosa vi hanno fatto? Rossella... - urla Lorenzo, urlano tutti.
- Tutto bene, stiamo bene, il principe...
- Il principe cosa? - dice l'ispettore.
- Il principe Ahmet, mi ha rapito, voleva portarmi nel suo paese... Ora è sullo yacht e dovevano portarci lì, a me e a Davide. Non ci voleva fare del male... non è cattivo, solo che...
- Solo che voleva la mia Rossella - aggiunge Lorenzo.
- E Davide? Perché hanno preso Davide? - chiede l'ispettore.

- Perché Davide ha scoperto che ero nell'albergo - risponde Rossella,- e poi...
- Dopo, parleremo dopo, ora presto, allo yacht - grida l'ispettore al suo gruppo di aiutanti, un cane, un bambino, uno sposo, due ragazze e uno zio magro. Tutti corrono verso il porto, dove vedono lo yacht del principe che sta già partendo.
- Non lo prenderemo mai - dice l'ispettore. - E cosa scriveranno i giornali? Che un principe ha rapito una sposa perché era molto bella e voleva portarla nella sua terra? E che ora la sposa è salva grazie a un bambino che raccoglieva le stelle e grazie a un cane che ha capito tutto? E chi ci crederà? Sembra una favola, sembra...
- Sì. E' meglio che dimentichiamo tutto - continua Rossella, e aggiunge - la brutta avventura è finita.

EPILOGO

EPILOGO

- Ecco, Rossella, la tua collana - dice Lorenzo e le mette al collo la bellissima collana di perle.

- Questa collana mi ha salvato - dice Rossella. - Sarà per sempre il mio portafortuna. Sai, io facevo cadere le perle e speravo... mi dicevo... forse qualcuno le trova, forse qualcuno penserà alla mia collana.

- Come ho fatto io zia! - interviene contento Davide.

- Sì, come hai fatto tu, caro Davide. Ma come hai fatto a capire? - chiede Rossella.

- Non ho capito, ma... non ricordi zia? Mi hai sempre detto "*San Lorenzo, io lo so perché tanto di stelle per l'aria tranquilla arde e cade...*". Ricordi zia? Le stelle cadono dal cielo la notte di San Lorenzo e si trasformano in perle. Chi le segue avrà fortuna e felicità. Io le ho seguite e ora sono tanto felice! - e Davide contento si avvicina a Rossella e l'abbraccia forte, mentre Zara abbaia soddisfatta.

FINE

ATTIVITÀ

capitolo 1

A. Rispondi alle domande.

1. Quali sono i colori tipici delle case della Liguria?
2. Come si chiamano le due località che racchiudono il golfo della città di La Spezia?
3. Chi passeggia lungo il molo?
4. Cosa succederà il giorno dopo?
5. Chi incontra lo zio?

B. Metti in ordine il testo.

1. Lungo il molo passeggia
2. avanti e indietro
3. insieme a un cane,
4. una compagnia un po' particolare.
5. Due bambini che corrono
6. due giovani donne e due uomini.

C. Trova il contrario della parola maturo.

1. per una persona ____________________
2. per un frutto ____________________

D. Scegli la risposta giusta.

1. Spensierato significa

a. senza pensieri
b. senza cervello
c. senza pensione

Le case di Portovenere si affacciano al molo. La finestra della tua camera dove si affaccia? Descrivi cosa vedi dalla tua finestra.

capitolo 2

A. Rispondi alle domande.

1. Chi è Ahmet?
2. Perché Lorenzo si sente a disagio?
3. Che festa è il giorno del 10 agosto in Italia?
4. Che cosa succede quella notte?
5. Qual è il desiderio del principe?

B. Scegli l'affermazione giusta.

1. Lorenzo è a disagio perché
a. non conosce il principe
b. il principe guarda Rossella
c. Rossella ammira il principe

2. Quando cadono le stelle
a. c'è sempre festa
b. esprimiamo un desiderio
c. ci sono molti matrimoni

C. Trova in questo capitolo una parola per sostituire l'espressione "a disagio" nella frase "Lorenzo si sente a disagio".

Lorenzo si sente ________________

D. Trova la parola.

1. La apri, la chiudi, parli, mangi e sorridi, è la ______________________
2. Sono verdi o blu, o neri o castani, mai arancione o rosa, sono gli ________
3. Quello del cane è nero e umido, è il ______________________
4. Se vuoi sentire devi usare le ______________________

E. Trova in questo capitolo il contrario di

1. vicino #
2. chiedere #
3. ieri #
4. giorno #
5. uguale #

1. Anche nel tuo paese la notte del 10 agosto cadono le stelle?
2. Hai mai visto delle stelle cadenti? Quando e dove? Racconta.
3. Di solito esprimi un desiderio quando vedi una stella cadente?

Dividetevi a coppie e raccontate un vostro desiderio al vostro compagno.

capitolo 3

A. Rispondi alle domande.

1. Perché Portovenere è in festa?
2. Dove si svolge la festa?
3. Com'è Rossella?
4. Com'è Lorenzo?
5. Perché Lorenzo ha scelto questa data per il matrimonio?

B. Le seguenti affermazioni sono vere o false?

	Vero	Falso
1. Anche le barche sono illuminate	☐	☐
2. Il Castello di Portovenere è sempre aperto	☐	☐
3. Rossella porta una collana di diamanti	☐	☐
4. Il 10 agosto cadono le stelle	☐	☐
5. La poesia comincia così: "San Lorenzo..."	☐	☐

C. Trova in questo capitolo il contrario di

1. sconosciuto #
2. tristezza #
3. sempre #
4. corto #
5. velocemente #

La festa dell'onomastico è importante nel vostro Paese? E' più importante la festa dell'onomastico quella del compleanno? Divisi a coppie descrivete al vostro compagno come festeggiate il vostro onomastico o il compleanno.

capitolo 4

A. Rispondi alle domande.

1. Perché Rossella esce dal Castello?
2. Perché Lorenzo non è tranquillo?
3. Perché Rossella non ha avuto una vita facile?
4. Qual è il desiderio di Rossella?
5. Perché all'improvviso Rossella non vede più le stelle?

B. Trova in questo capitolo il sinonimo di "buio".

____

C. Trova la parola.

1. chi ha paura è ____________________
2. chi ha coraggio è ____________________

D. Trova i sostantivi di questi verbi.

1. uscire ____________________
2. rispondere ____________________
3. perdere ____________________
4. ballare ____________________
5. cadere ____________________

capitolo 5

A. Rispondere alle domande.

1. Chi è Arturo?
2. Che lavoro fa Arturo?
3. Di chi era la collana di Rossella?
4. Cosa pensa Arturo della collana di Rossella?
5. Perché non è contento lo zio?

B. Completa la frase con le parole mancanti.

Lo zio parla sempre di ____________________ e l'amico Arturo pensa sempre alle ____________________

C. Trova i verbi che corrispondono a questi sostantivi.

1. organizzazione ____________________
2. spesa ____________________
3. eredità ____________________
4. regalo ____________________
5. lavoro ____________________

D. Arturo sa bene che le pietre preziose sono solo tre. Tutte le altre sono pietre semipreziose. Trova le tre pietre preziose!

- corallo
- turchese
- rubino
- acquamarina
- diamante
- smeraldo
- giada
- ametista
- lapislazzulo

E. Trova l'intruso.

1. Barbara - Rossella - Torino - Davide - Bruno
2. uscire - andare - tornare - bere - partire
3. ridere - piangere - sorridere - divertirsi - ballare
4. dire - chiedere - rispondere - guardare - aggiungere

F. Completa il testo con le parole mancanti scegliendo tra le parole del riquadro.

Gli ospiti mangiano, bevono e si 1. ____________ . E' proprio una bella 2. ____________ - pensa lo zio - ma quanti 3. ____________ .
E poi quanti soldi dovrà 4. ____________ a Rossella. E poi perché? Molti di 5. ____________ soldi dovrebbero essere suoi.

a. soldi   b. questi   c. festa   d. divertono   e. dare

Dovete organizzare una festa. A coppie fate una lista delle cose che dovete comprare. Poi confrontate le liste con quelle dei vostri compagni.
Dopo, sempre a coppie, raccontate al vostro compagno come organizzate la festa.
Cominciate cosí " Per la mia festa ho deciso di..."

capitolo 6

A. Rispondi alle domande.

1. Perché Davide non è contento?
2. Cosa vede Davide?
3. Perché Davide dà le perle a Ivan?
4. Perché i bambini devono andare a letto?
5. Chi accompagna i bambini a casa?

B. Cosa è successo? Che confusione, le parole hanno cambiato posto. Cerca di metterle in ordine.

E' così **bassa** la notte! I bambini scendono il **paese** che dal Castello porta giù ai vicoli del **sentiero**. Davide cammina a testa **bella** e dà calci alle piccole pietre che trova sulla strada.

C. Trova i contrari.

1. brusco #
2. niente #
3. ridere #
4. scendere #
5. tardi #
6. chiaro #

D. Spiega l'espressione.

Se diciamo che Davide ha il muso significa che ____________________

capitolo 7

A. Rispondi alle domande.

1. Cosa fa Stefania?
2. Cosa fanno i bambini?
3. Che cosa vede Davide per la strada?
4. Perché Davide arriva al Royal Hotel?
5. Perché Davide vuole urlare " Mamma, mamma, aiuto?"

B. Ricordi la parola che significa il contrario di pensieroso?

____

C. Spiega l'espressione.

Se diciamo che Ivan dorme come un sasso significa che ____________

D. Trova i contrari delle seguenti parole.

1. continuare	#	5. uscire	#
2. piano	#	6. fortuna	#
3. lentamente	#	7. felicità	#
4. tranquillo	#	8. ricco	#

E. Metti in ordine il paragrafo.

1. e poi diventano perle
2. e che se le raccogli troverai
3. Rossella gli raccontava sempre
4. la fortuna e la felicità.
5. delle stelle che cadono dal cielo

capitolo 8

A. Rispondi alle domande.

1. Chi è il signore col pancione e i baffi?
2. Perché Lorenzo è disperato?
3. Qual è l'idea dell'ispettore?
4. Di quale eredità si parla?
5. Perché all'ispettore non piace lo zio?

B. Trova in questo capitolo i contrari delle seguenti parole.

1. addormentato #
2. qualcosa #
3. risposta #
4. tutti #
5. gentile #

C. Completa il testo con le parole mancanti scegliendo tra le parole del riquadro.

Lorenzo, non fare 1. ____________________ . Cosa c'entri tu? Tu non hai nessuna 2. ____________________. Rossella voleva stare un po' da 3. ____________________, ricordi?- gli dice Barbara 4. ____________________ lei disperata. Non sa cosa pensare, nessuno sa cosa pensare e 5. ____________________ l'ispettore.

a. sola   b. anche   c. così   d. nemmeno   e. colpa

capitolo 9

A. Scegli l'affermazione giusta.

1. L'ispettore continua a

a. interrogare gli invitati

b. girare per la casa

c. parlare con lo zio

2. Arturo conosce lo zio Bruno da due

a. settimane

b. mesi

c. anni

3. La frase "la collana di perle vale una fortuna" significa che la collana

a. è molto bella

b. porta fortuna

c. costa molto

B. Trova la parola nel capitolo.

1. Un bambino che fa molte domande è ____________
2. Una persona che pensa molto ai soldi è ____________
3. Una persona che non crede a niente e a nessuno è ____________

C. Trova i verbi corrispondenti alle professioni.

1. L'ispettore ____________
2. Il commerciante ____________
3. Il pescatore ____________

capitolo 10

A. Le seguenti affermazioni sono vere o false?

	Vero	Falso
1. Ivan si sveglia perché ha fame	☐	☐
2. Barbara non trova Davide	☐	☐
3. Ivan non vuol dire il suo segreto	☐	☐
4. All'ispettore piacciono i bambini	☐	☐
5. I grandi sono preoccupati	☐	☐

B. Metti in ordine il testo.

1. Ivan non conosce;
2. Entra nel salotto e vede
3. è l'ispettore, che hanno chiamato per
4. e Stefania con i loro mariti.
5. Ivan apre gli occhi, non capisce.
6. Lorenzo, lo zio e poi Barbara
7. C'è anche un uomo che
8. la scomparsa di Rossella.

C. Trova i contrari di queste parole.

1. confusione #
2. vuoto #
3. nervoso #
4. gioia #
5. perdere #

D. Trova la parola.

Una persona che ride è __________________, una persona che piange è __________________.

A coppie, raccontate al vostro compagno un segreto. Lavorate anche con la fantasia.
State tranquilli, il vostro segreto rimarrà segreto!

capitolo 11

A. Rispondi alle domande.

1. Perché Zara dorme contenta?
2. Cosa pensa Zara dell'ispettore?
3. Perché Zara tira la giacca all'ispettore?
4. Cosa pensa l'ispettore di Zara?
5. Cosa pensa l'ispettore di tutta la famiglia?

B. Cosa è successo? Che confusione, le parole hanno cambiato posto. Cerca di metterle in ordine.

Zara punta il suo **Davide** in aria, alla ricerca del suo **odore**. Segue il suo **naso**, quell'odore particolare che sa di pulito, di **odore**, odore di bambino, diverso dall'**innocente** degli adulti.

C. Scegli la parola giusta.

1. Una ragazza ha delle belle — a. zampe / b. gambe
2. Il tuo amico ha un bel — a. viso / b. muso

A coppie, parlate al vostro compagno dell'animale che preferite e perché.

capitolo 12

A. Rispondi alle domande.

1. Dove corre Zara?
2. Chi la segue?
3. Cosa dice l'ispettore?
4. Chi appare nel buio?
5. Chi sono queste quattro figure?

B. Trova i contrari.

1. destra #
2. andare #
3. giusto #
4. primo #
5. dentro #

C. Completare con le parole mancanti scegliendo tra quelle date.

Zara comincia a correre e tutti corrono 1. ______________________
di lei. Passano le stradine del paese, girano a 2. ______________________
e sempre 3. ______________________ lungo il mare, giù, giù, fino
a trovarsi 4. ______________________ all'ingresso del Royal Hotel.

a. dritti b. dietro c. davanti d. destra

D. Trova la parola.

Per entrare in casa passo dall'ingresso. Trova il nome delle altre stanze.

1. In questa stanza faccio colazione e mangio . E' la ______________.
2. In questa stanza guardo la TV, sto con gli amici. E' il ______________.
3. In questa stanza dormo, leggo, sto con i miei pensieri. E' la __________.

capitolo 13

A. Rispondi alle domande.

1. Cosa fa Zara?
2. Cosa dice l'ispettore?
3. Cosa fanno i due uomini?
4. Chi sono gli aiutanti dell'ispettore?
5. Chi ha rapito Rossella e Davide?

B. "La brutta avventura è finita" dice Rossella. In italiano c'è un detto "tutto bene quel che finisce bene". C'è un detto simile nella tua lingua? Conosci altre espressioni e detti italiani?

____

____

____

C. In questa storia abbiamo trovato due forme idiomatiche. Completale.

1. Dorme come un ______________
2. E' chiaro come il ______________

D. Trova l'esclamazione giusta.

1. Quando una persona è in pericolo grida ______________
2. Quando una persona è arrabbiata dice ______________
3. Quando la polizia trova i malviventi grida ______________

E. Abbina gli aggettivi giusti ai personaggi.

Davide ______________________
Barbara ______________________

Zara ______________________
Ispettore ______________________

Zio ______________________
Lorenzo ______________________

Rossella ______________________
Principe ______________________
Arturo ______________________

furbo, snello, piccolo, bello, magro, misterioso, innamorato, abbronzato, preoccupato, scontento, interessato, intelligente, ansioso, giovane, biondo, alto, spensierato, curioso, grasso, impaziente, elegante, severo, fedele

Divisi a coppie raccontate al vostro compagno se la fine della storia vi è piaciuta o no.
Cominciate così:
"La fine della storia mi è piaciuta perché..."
"La fine della storia non mi è piaciuta perché..."

E ora se vuoi vedere qualche fotografia di Portovenere puoi andare a visitare questi siti:
www.cittadellaspezia.com/turismo/Portovenere.htm
www.lasprugola.com/portovenere.htm

Chiavi

CAPITOLO 1

B. Lungo il molo passeggia una compagnia un po' particolare. Due bambini che corrono avanti e indietro insieme a un cane, due giovani donne e due uomini. (1,4,5,2,3,6)

C. 1. immaturo / 2. acerbo

D. 1.a

CAPITOLO 2

B. 1.b / 2.b

C. strano

D. 1. bocca / 2. occhi / 3. naso / 4. orecchie

E. 1. lontano / 2. rispondere / 3. oggi / 4. notte / 5. diverso

CAPITOLO 3

B. 1.V / 2.F / 3.F / 4.V / 5.V

C. 1. conosciuto / 2. allegria / 3. mai / 4. lungo / 5. lentamente

CAPITOLO 4

B. oscurità

C. 1. pauroso / 2. coraggioso

D. 1. uscita / 2. risposta / 3. perdita / 4. ballo / 5. caduta

CAPITOLO 5

B. soldi/ perle

C. 1. organizzare / 2. spendere / 3. ereditare / 4. regalare / 5. lavorare

D. rubino - diamante - smeraldo

E. 1. Torino / 2. bere / 3. piangere / 4. guardare

F. 1.d / 2.c / 3.a / 4.e / 5.b

CAPITOLO 6

B. E' così bella la notte! I bambini scendono il sentiero che dal Castello porta giù ai vicoli del paese. Davide cammina a testa bassa e dà calci alle piccole pietre che trova sulla strada.

C. 1. gentile / 2. tutto / 3. piangere / 4. salire / 5. presto / 6. scuro

D. è arrabbiato

CAPITOLO 7

B. spensierato

C. dorme profondamente

D. 1. interrompere, finire / 2. forte / 3. velocemente / 4. nervoso / 5. entrare / 6. sfortuna / 7. infelicità / 8. povero

E. Rossella gli raccontava sempre delle stelle che cadono dal cielo e poi diventano perle e che se le raccogli troverai la fortuna e la felicità. (3,5,1,2,4)

CAPITOLO 8

B. 1. sveglio / 2. niente / 3. domanda / 4. nessuno / 5. brusco

C. 1.c / 2. e / 3. a / 4. b / 5. d

CAPITOLO 9

A. 1.a / 2.c / 3. c

B. 1. curioso / 2. interessata / 3. sospettosa

C. 1. interrogare / 2. vendere / 3. pescare

CAPITOLO 10

A. 1.F / 2.V / 3.V / 4.F / 5.V

B. Ivan apre gli occhi, non capisce. Entra nel salotto e vede Lorenzo, lo zio e poi Barbara e Stefania con i loro mariti. C'è anche un uomo che Ivan non conosce; è l'ispettore, che hanno chiamato per la scomparsa di Rossella. (5,2,6,4,7,1,3,8)

C. 1. calma / 2. pieno / 3. tranquillo / 4. tristezza / 5. trovare

D. allegra / triste (disperata)

CAPITOLO 11

B. Zara punta il suo naso in aria, alla ricerca del suo Davide. Segue il suo odore, quell'odore particolare che sa di pulito, di innocente, odore di bambino, diverso dall'odore degli adulti.

C. 1.b / 2.a

CAPITOLO 12

B. 1. sinistra / 2. venire / 3. sbagliato / 4. ultimo / 5. fuori

C. 1.b / 2.d / 3.a / 4. c

D. 1. cucina / 2. soggiorno (salotto) 3. camera da letto

CAPITOLO 13

C. 1. sasso / 2. sole

D. 1. aiuto! / 2. accidenti! / 3. mani in alto!

E.

Davide	piccolo, intelligente, spensierato, curioso
Barbara	preoccupata, ansiosa
Zara	intelligente, fedele
Ispettore	grasso, curioso, impaziente
Zio	magro, alto, severo, scontento
Lorenzo	bello, innamorato, abbronzato, giovane, alto, elegante, preoccupato
Principe	elegante, misterioso
Arturo	furbo, interessato

Finito di stampare nel mese di gennaio 2009
da Grafiche CMF - Foligno (PG)
per conto di Guerra Edizioni - Guru s.r.l.